세상의 모든 사나와 유나에게

왜사나 씨 이야기

왜사나 씨 이야기

○

우리 모두가 영문도 모른 채 태어나 살고 있다지만 사나 씨의 경우에는 그 빈 공간이 남들보다 훨씬 선명하다고 할 수 있었다.

왜사나 씨의 진짜 이름은 이사나이다. 그러나 매일같이 얼굴을 맞대고 지내던 어린 시절, 그의 하루를 가까이서 지켜본 또래 아이들은 일찌감치 참으로 초등학생다운 별명을 하나 지어 사나 씨에게 붙여 주었다. '왜사나'.

그도 그럴 것이 사나 씨는 말끝마다 "이럴 거면 왜 사는 건지."하고 궁시렁댔기 때문이다. 숙제가 많은 날, 대청소하는 날, 소나기를 만난 날, 수학 수업이 있는 날에 사나 씨는 그렇게 말하곤 했다. 하지만 숙제가 없고, 대청소를 하지 않고, 날씨가 화창하고, 수학 수업이 없는 날에도 이렇게 말했다. "이 날씨에 이러고 있을 거면 왜 사나 몰라."

왜사나라는 이 발음하기 쉽고도 해학적인 별명은 빠르게 본명을 대체해 나갔다. 친한 친구든 점심시간 때만 어울려 노는 아이든 모두 왜사나라고 불렀다. 심지어는 "사나야."하고 살갑게 본명을 부르는 대신 퉁명스레 "야, 왜사나!"라고 불러 보고 싶어 친구가 된 아이마저 있을 정도였다. 아홉 살배기 어린이들은 이런 이상한 구석에서 우정을 확인했고 다른 무엇으로도 대체할 수 없는 애정을 느꼈다.

덕분에 사나 씨는 은근히 퉁명스럽고 대놓고 부정적인 성격을 지니고서도 주변에 사람이 끊이질 않았다. 학창 시절 동안 친구를 사귀지 못할까 봐 걱정한 적은 단 한 번도 없었다.

같은 동네에서 초중고를 모두 졸업한 영향도 컸다. 이사나를 왜사나라고 부르고 싶어 하는 아이들은 언제나 존재했고 신기하게도 그 수는 꾸준히 늘어났다. 덕분에 초등학교 이 학년 때 시작된 별명은

곧 그를 대표하는 이름이 되어 정작 사나 씨는 자각
도 못 하는 사이 수월한 학창 시절의 견고한 기반이
되어 주었다.

성인이 되고 나서도 상황은 비슷했다. 어쩌다 보
니 친구가 너무 많아진 바람에 친하게 지내던 아이
중 무려 세 명이나 같은 대학으로 진학하게 된 것이
다. 심지어 그중 하나는 학과마저 같았다. 학과가
같은 친구를 비롯한 세 동창은 너무나도 당연하게
사나 씨를 계속해서 왜사나라고 불렀다. 그러자 다
른 이들이 호기심 어린 눈을 하고 물었다.

"'왜사나'가 사나 별명이야? 왜?"

이윽고 세 친구 중 누군가로부터 이유를 듣고 나
면 그들은 사나 씨로선 이해할 수 없을 만큼 재밌어
하곤 했다. 덕분에 사나 씨는 대학생이 되어서도 자
연스레 이사나가 아닌 왜사나로 살았다. 다 자란 아
이인 동시에 덜 자란 어른이던 스무 살배기 친구들
은 아홉 살배기 어린이만큼이나 열성적으로 왜사나
라는 별명을 불러댔다. 스무 살배기 어른들은 이런
이상한 구석에서 우정을 확인했고 다른 무엇으로도
덜어낼 수 없는 고독감을 상쇄했다.

왜사나 씨는 매사에 불평을 쏟아내며 삶과 하루를 마구 욕하면서도 정작 자신의 별명에는 불만이 없었다. 그리 틀린 말도 아니었을뿐더러 이사나라는 본명보다 생에 대한 책임감이 덜 느껴졌기 때문이었다. 어느 모로 보나 크게 나쁠 것 없는 이름이었다.

물론 너무 익숙해진 것이 화근이 되기도 했다. 사나 씨는 직장에서 자신을 소개할 때조차 습관적으로 "안녕하세요. 왜사나입니다."하고 무미하게 뱉어댔으니. 그런 황당한 실수가 몇 번이고 반복되었다. 그때마다 사나 씨는 도무지 이해할 수 없는 자신의 행동을 저주하며 창밖으로 뛰어내리고 싶은 충동을 억눌러야 했다. 그러면서도 겉으로는 의연한 척 자신의 유별난 별명에 대해 해명 아닌 해명을 내놓았다. 얼마 지나지 않아 함께 일하는 동료 모두가 염세주의로 빚어진 오래된 별칭을 알게 되었다.

이를 계기로 장난스레 불리기 시작한 '왜사나 사원'은 뒤이어 '왜 주임'과 '왜 대리'를 거쳐 기어이 '왜 과장'에까지 이르렀다. 처음엔 당장이라도 창문을 열고 뛰어내리고 싶던 사나 씨도 왜 주임이 되면

서부터는 자신의 새 성씨를 순순히 받아들였다. 돌아보면 이사나로는 제대로 살아 본 적이 없었으니 그리 어려운 일도 아니었다.

게다가 이 이름은, 다른 건 몰라도 이름값 하기 쉬운 것만은 틀림없었다. 사나 씨는 정말이지 아무 때나 죽고 싶었으니까.

마트에 갔는데 바나나 우유의 재고가 없으면 죽고 싶었다. 치과에 갔는데 충치가 있다고 하면 죽고 싶었다. 샤워를 하다 느닷없이 찬물이 나오면 죽고 싶었고 너무 뜨거운 물이 나와도 죽고 싶었다. 우산이 없는데 소나기가 내리면 죽고 싶었다. 바닷가에 갔는데 해무가 끼어 있으면 죽고 싶었다. 해 뜨는 걸 보면 죽고 싶었고 해 지는 걸 봐도 죽고 싶었다. 출퇴근길 지하철 안에서는 너무나도 당연히, 그냥 죽고 싶었다. 그게 싫어 자동차를 샀더니 다른 자동차의 경적 소리가 들려올 때마다 죽고 싶었다.

왜사나 씨는 아주 작은 사건 하나만 생겨도 곧장 죽음을 꺼내 저울에 달아 보았다. 그것은 한때 삶과 죽음을 양쪽에 각각 놓고 달아 보던 양팔 저울로, 신기하게도 언제나 삶이 미세한 차이로 무거웠다.

그러다 몇 년 전부터는 다른 걸 올려두기 시작했다. 한쪽에는 자신의 죽음을, 반대쪽에는 언니의 죽음을 두었다. 항상 언니 쪽이 더 무거웠다. 매번 죽음을 이겨 먹던 자신의 삶도 이 정도로까지 무겁지는 않았다. 이것이 사나 씨를 더욱 살기 싫게 만들었다.

왜사나 씨의 지인들은 어쩌다 그의 언니가 죽었다는 사실을 알게 되면 종종 섣부른 반응을 보이곤 했다.

"아아 그래서…"

그러다 갑자기 어떻게 말을 이어가야 할지 모른다는 것을 깨닫고는 입을 꾹 다물었다. 우연찮게 알게 된 가족사는 그들의 얼굴을 주홍빛 당혹으로 물들였다. 머릿속에서 이제까지 '왜사나'라는 별명으로 해 온 숱한 농담이 빠르게 지나갔다.

하지만 전말을 알았더라면 조금도 걱정할 필요가 없었을 것이다. 그들의 추측은 완전히 틀려먹었으므로.

왜사나 씨는 언니가 요절할 거라고는 상상도 못했던 시절부터 일찌감치 죽고 싶었다. 실제로 그는

죽는다는 게 뭔지 이해해 나가기 시작한 바로 그날
부터 자신의 죽음을 그렸다.

그때 사나 씨는 여섯 살이었고 언니는 열 살이었
다. 여느 때보다 일찍 눈이 떠진 월요일 아침이었
다. 그날 아침 잠에서 깬 자매는 키우던 햄스터가
보이지 않는다는 것을 깨달았다. 사라진 건 햄스터
뿐만이 아니었다. 노란 지붕의 플라스틱 집이 놓여
있던 소파 옆자리 역시 낯설도록 휑뎅그렁했다.

자매는 그들이 보고 있는 것과 믿고 있는 것 사이
에서 혼란스러웠다. 아직 꿈 속에 있는 건가 싶기도
했다. 분명 어제저녁 곤히 잠든 햄스터를 본 기억이
선명한데, 자고 일어났더니 갑자기 햄스터는 물론
이거니와 햄스터가 잠들어 있던 집까지 온데간데없
이 사라진 것이다. 무언가 말이 되지 않았다.

둘은 온 집안을 뒤졌다. 두려움과 걱정, 꿈과 현
실 사이에서의 혼동이 어지럽게 뒤섞인 상태에서
밤색의 작고 부드러운 털 뭉치를 미친 듯이 찾아다
녔다. 안방이나 베란다에는 없었다. 화장실과 책상
아래에도 없었다. 혹시나 싶어 식탁 아래도, 책꽂
이 안도, 쓰레기통 속도, 신발장 위도, 소파 아래도

뒤져 보았지만 어디에서도 밤색의 작은 생명체는 눈에 띄지 않았다.

자매의 어머니가 그런 아이들을 보며 한숨을 쉬었다. 처음에는 아무 말도 하지 않을 작정이었다. 아직 어린애들이니 찾아보다 안 나오면 제풀에 지쳐 관두겠지 싶었다.

하지만 어린이란 완전히 반대의 특성을 가진 존재였고, 찾는 것이 뭐가 되었든 그것이 눈앞에 나타날 때까지는 절대 고집을 꺾지 않았다. 그리하여 자매는 아침 먹을 시간이 다 되어도 세수조차 하지 않고서 산만하게 집 안 구석구석을 헤집었다.

결국 어머니가 아이들보다 먼저 지치고 말았다. 분주하게 아침 준비를 하던 자매의 어머니는 짧은 숨을 한 번 뱉고서 큰 소리로 그들을 불렀다. 자매가 막 옷장 서랍을 들쑤시던 참이었다.

"엄마가 찾았나 봐!"

사나 씨의 언니가 먼저 동작을 멈추고 외쳤다. 집 안을 휘젓고 다니느라 잔뜩 상기된 얼굴에 순간 화색이 돌았다. 이에 사나 씨도 덩달아 움직임을 멈추었다. 둘은 약속이나 한 듯 옷가지를 내던지던 전투

적인 손길을 거두고 부엌으로 우다다 달려갔다.

여기서 한 가지 알아두어야 할 점은 자매의 어머니가 그다지 사려 깊은 편은 못 되었다는 것이다. 그는 아이의 눈높이에 맞춰 선의의 거짓말을 하거나 그럴듯한 비유를 들어 설명할 수 있는 사람이 아니었다. 무엇보다 애초에 그러고자 노력할 마음이 없었다. 그리하여 잔뜩 기대의 눈빛을 하고 자신 앞에 선 두 어린이에게 어머니는 있는 그대로의 사실을 느끼는 그대로의 감정을 담아 전해 주었다.

"햄스터 죽었어."

슬프지도 기쁘지도 않은 목소리였다. 말을 하는 입과 동일한 육체를 공유하는 손은 죽음을 통보하는 동안에도 분주하게 달걀 프라이를 부쳤다. 눈도 그쪽을 향했다. 아이들을 향한 것은 오직 입에서 흘러나온 "햄스터 죽었어."라는 문장이 전부였다. 딱히 희망에 찬 두 쌍의 눈동자를 피하려고 그런 것은 아니었다. 그저 달걀 프라이를 부쳐야 할 뿐이었다.

한순간 정적이 흘렀다. 누구도 입을 열지 않았다. 프라이팬의 기름 튀는 소리만이 몇 초 동안 이어졌다. 그리고 갑자기, 왜사나 씨의 언니가 큰 소리로 꺼이꺼이 울기 시작했다.

그제야 자매의 어머니는 고개를 돌려 자신의 첫째 아이를 바라보았다. 사나 씨도 깜짝 놀라 언니를 올려다보았다. 언니가 왜 우는 것인지 알 수 없었다. 그런데 너무 서럽게 울고 있으니까 괜히 따라 슬퍼졌다. 그래서 사나 씨는 같이 울기 시작했다.

"얘네가 아침부터 정말……."

자매의 어머니가 당황해서 말끝을 흐렸다. 그러다 이내 약간 피곤한 목소리로 짜증을 냈다.

"뚝! 그만 울어. 지금 울어서 뭘 어쩌겠단 거야."

하지만 달걀 프라이를 태울 수는 없었으므로 시선은 짧은 간격을 두고 자매와 프라이팬 위를 오갔다. 자매는 들은 척도 않았다. 그저 우는 것에 온 에너지를 쏟기로 작정한 듯 괴상한 소리를 내며 서럽게 눈물을 떨구었다.

그날 왜사나 씨는 유치원에서 하루 종일 햄스터 생각을 했다. 플라스틱 삽으로 뒷마당의 모래를 파면서, 선생님이 해주는 초록색 코끼리 이야기를 들으면서, 레고 블럭을 아무렇게나 쌓으면서, 싫어하는 카레를 억지로 떠먹으면서 생각했다. 햄스터가 죽었다는 사실에 대해서. 죽었기에 앞으로는 아무것도 할 수 없을 거라는 사실에 대해서.

자매의 어머니는 아파트 화단에다 햄스터를 묻었다고 했다. 그즈음 그는 프라이팬 쪽으로 몸을 완전히 돌려 햄 굽는 데에 열중해 있었다. 자매는 여전히 어머니의 눈을 볼 수 없었다. 그래서 서로를 마주 보았다. 몇 분 전만 해도 네 개의 눈동자 안에 온전히 스며 있던 기대의 빛은 어느새 아스라이 사라지고 없었다.

왜사나 씨의 언니는 등교하기 전에 사나 씨의 손을 꼭 잡고 어머니가 알려 준 화단으로 데려갔다. 언니가 또래보다 작은 새하얀 손을 들어 흙을 가리켰다.

"여기에 묻혀 있대. 땅속에."

정확한 지점은 알 수 없었다. 그들의 어머니는 둥근 흙무덤도 만들지 않았고 나무 십자가도 세우지 않았으니까. 다만 여기 어딘가 묻혀 있다고 하니 그럴 거라고 믿어 볼 뿐이었다.

사나 씨는 언니의 손끝이 모호하게 가리키고 있

는 한구석을 맹하니 쳐다보았다. 기분이 이상했다. 왜인지는 몰라도 언니가 방금 한 말이 멍텅구리 같은 말이라는 생각이 들었다.

"무슨 말인지 잘 모르겠어."

사나 씨가 들릴 듯 말듯 작은 목소리로 중얼거렸다.

잠시 후 언니가 사나 씨를 다시 집에 데려다주었다. 사나 씨는 여덟 살 때까지 혼자 엘리베이터를 타지 못했다. 위아래로 움직이는 기다란 상자가 왠지 괴이쩍었다. 문이 한 번 닫히면 다시는 열리지 않을 것만 같았고 원하는 층에 제대로 내려 줄지도 믿을 수 없었다. 그래서 언니가 학교에 가기 전에 같이 엘리베이터를 타고 집까지 데려다주어야 했다. 유치원 등원 차량이 오기까지는 아직 한 시간이 남아 있었다.

다시 엘리베이터를 타고 올라가는 동안 언니는 햄스터가 죽었기 때문에 이제부터 땅속에만 있어야 한다고 찬찬히 설명해 주었다. 밖에 꺼내 놓아도 어차피 움직이지 않을 거라고. 하지만 사나 씨는 흙더미 안에 햄스터 혼자 있으면 너무 심심할 것 같았다.

"그럼 땅 안에서 혼자 뭐 해?"

걱정스레 묻자 언니는 답지 않게 난처한 미소를 지으며 뜸을 들였다. 또래보다 손은 작아도 표정은 훨씬 어른스러운 열 살이었다. 사나 씨는 팔 층에서 십삼 층만큼 기다렸다. 십삼 층에서 십사 층으로 바뀌는 사이 언니가 다시 입을 열었다.

"아무것도 안 해. 아무것도 안 하는 게 핵심이거든."

왜사나 씨는 언니의 말을 제대로 이해하지 못했다. 다만 마지막 문장이 아주 멋지다는 생각이 들었다. 아무것도 안 하는 게 핵심이거든. 이전까지 한 번도 들어 본 적 없는 말이었다. 사나 씨는 몇 번이고 그 문장을 속으로 따라 뇌어 보았다. 그들이 사는 이십일 층에 가까워질 즈음 사나 씨의 언니가 덧붙였다.

"움직이거나 소리를 내거나 보지도 못해. 죽으면 아무것도 못 하거든."

그날 오후 유치원 앞마당에서 미끄럼틀을 타고 내려오며 사나 씨는 언니가 해 준 말을 다시 곱씹었다. 이어 두 발이 땅에 착지하는 순간에는 문득 이런 생각이 들었다.

'아무것도 못 하는 게 죽는 거라면 나도 하고 싶어!'

생각하면 생각할수록 이보다 멋진 생각이 또 없었다. 만약 죽는 걸 한다면 그때부터는 아무것도 안 해도 되었다. 안 움직여도 되고, 안 자도 되고, 그렇다면 굳이 아침에 일어날 필요도 없는 것이다. 먹기 싫은 카레를 억지로 먹을 필요도 없었다. 이렇게 편한 걸 아무도 하지 않는다는 사실이 사나 씨는 너무 놀라웠다.

여섯 살 사나 씨는 탄식이 터져 나올 만큼 가족에 대한 생각은 전혀 하지 않았다. 오로지 햄스터만 떠올렸다. 죽어서 햄스터 옆에 묻히게 되면 얼마나 멋질까 하는 생각만 하고 또 했다. 다만 아직은 죽음이 감각으로 잘 와닿지 않았기에 흙 속에 묻힌 기분을 상상했다. 흙 속에 묻혀 있는 기분이 딱 죽었을 때의 기분일 것 같았다.

그 후 비슷한 나날이 이어졌다. 별일이 있어도 별일이 없어도 죽고 싶은 날의 연속이었다.

"정말 왜 사는지 모르겠네."

"이럴 거면 왜 사는지."

"나 진짜 왜 사는 거냐."

사나 씨는 이런 문장들을 계속 입에 달고 살았다. 고작 열 살도 안 된 초등학생에게 대대적인 사회적 개명이 이루어진 것도 어쩔 수 없는 일이었겠구나 싶을 만큼 달고 살았다.

삼십 대인 지금도 이사나 씨는 주위 사람들에게 왜사나 씨로 통했다. 그럼에도 그는 살아 있었다. 여전히 숨을 쉬고 있었으며 심장도 건강하게 잘 뛰었다. 왜사나 씨는 왜 사는지 모르면서도 아직까지 죽지 않은 채 잘만 살아 있는 것이다.

그러니까 말하자면, 빌어먹을 책임감이 문제였다. 태생적으로 죽음에 대한 공포를 느끼지 못했던 것과 마찬가지로 사나 씨는 천성적으로 책임감이 강했다. 매번 발목을 잡는 무언가가 있었다. 그것들이 강박적으로 호흡에 착 달라붙는 바람에 그는 좀처럼 죽어 볼 생각을 제대로 할 수가 없었다.

책임질 일이 너무 많았다. 도대체 어쩌다 이리되었나 싶을 정도로 넘쳐났다. 현재 맡은 프로젝트부터 시작해서 반도 못 갚은 전세 대출금, 다음 주에 잡혀 있는 출장, 삼 일 뒤 나올 카드 고지서, 그 뒤 줄줄이 날아올 전기 요금, 가스 요금, 관리비 고지서, 출장에서 돌아오는 길에 면세점에서 사다 주기로 한 엄마의 화장품, 동료 직원이 부탁한 향수, 내일 저녁 받아야 할 마트 배송, 남은 자동차 할부금, 부모님께 매달 드릴 생활비, 아빠 병원비, 두 달 뒤에 있을 친구 결혼식, 드라이클리닝 맡긴 셔츠, 죽은 뒤의 시체 처리, 집 청소, 전세 계약 갱신 문제…… 나열하자면 끝이 없었다.

물론 이것들은 결코 '살아야 할 이유'도 '살고 싶은 이유'도 아니었다. 죽을 수 없게 발목 잡는 것들이라 해서 그것이 자신을 살고 싶게 만들어 주지는 않았다.

그러다 언니가 죽은 지 오 년이 되어 갈 즈음, 상황이 달라졌다. 왜사나 씨는 무언가 크게 변했음을 느꼈다. 갑자기 언니의 죽음이 받아들여졌다. 이상한 일이었다. 가까운 사람이, 그것도 일생을 내내 붙어 있었을 만큼 가까워서 부재중인 게 도무지 적응되지 않는 이가 죽었는데 이제 와 느닷없이 그게 괜찮아진다는 것이. 그러면서 또 하나가 변했다. 예전만큼 책임감이 많이 느껴지지 않았다.

사나 씨는 언니의 다섯 번째 기일에 자신의 남은 책임감을 늘어놓고 찬찬히 둘러보았다. 놀랍게도 '둘러볼' 만한 것이 없었다. 왜사나 씨에게 책임감이 느껴지는 일은 어느새 두 개밖에 남아 있지 않았다. 가슴 깊은 곳에서부터 경탄이 터져 나왔다. 볼품없이 쪼그라든 책임감이 놀라웠다. 삼십 년 넘게 살아오면서 책임감이 이 정도로까지 좋아든 적이 있었던가? 단연코 없었다. 한순간도 없었다. 어쩌면 지금이야말로 죽기에 최적의 시기일지 모른다고, 사나 씨는 생각했다.

하지만 그는 조금도 모르지 않았다. 지금은 결코 최적의 시기가 아니라는 것을. 그리고 어쩌면 최적의 시기 따윈 영영 오지 않을지도 모른다는 것을. 두 개의 책임감은 일생 동안 가져 본 모든 책임감을 한데 뭉쳐 합친 것보다도 무거웠으므로.

자신의 죽음을 가볍게 이겨 먹는 언니의 죽음, 하나.

그런 언니가 남기고 간 개, 둘.

반려동물이라고 부를 수 있을지는 애매했다. 개와 공간을 공유했고 함께하는 시간도 많았지만 이 개를 사랑하느냐고 물으면 그건 잘 모르겠으니까.

그럼에도 같이 사는 이유는 달리 맡을 사람이 없기 때문이었다. 왜사나 씨의 어머니는 언니를 아둔한 인간 취급했던 것만큼이나 그의 개 역시 아둔한 금수 취급했다. 아버지는 어머니보다야 마음 따뜻한 사람이었으나 강아지고 고양이고 동물 털이라면 알러지 반응을 보이는 바람에 평생 가까이하지는 않았다. 그러므로 사나 씨가 데려올 수밖에는 없었다. 그는 예전부터 언니의 개와 자주 시간을 보내왔고, 함께 산책을 하기도 했으며, 무엇보다 가족 중이 개에게 확실한 호감을 가지고 있는 유일한 사람이었으니까.

이런 와중에 사나 씨마저 죽게 되면 개를 맡을 사람이 없었다. 물론 막상 일이 벌어진다면 자매의 부모님이 마지못해 떠안게 되기야 하겠지만 사나 씨는 절대로 그런 일이 일어나게 내버려 두지 않을 작정이었다.

'엄마 같은 사람은 개든 사람이든 뭘 키워선 안

돼.'

왜사나 씨는 종종 속으로 혼자 중얼거렸다. 어머니를 싫어하는 것은 아니었다. 오히려 사랑했다. 단지 어머니가 내면의 불행을 끝없이 외부에 투사하는 모습이 보기 싫었을 뿐이다.

결국 별개의 일이었다. 왜사나 씨는 자신이 얼마나 무기력하고 죽고 싶은지와는 무관하게 함께 사는 이 동물에 대한 강한 책임감을 느꼈다. 그냥 그렇게 태어났다. 천성적으로 죽고 싶은 동시에 천성적으로 책임감을 느끼는 것이라면 결국 어느 쪽도 제대로 해낼 도리가 없었다.

언젠가 왜사나 씨는 문득 궁금해졌다.

'어째서 나는 생명의 소중함을 못 느끼는 거지?'

그러다 곧 질문에 오류가 있음을 깨달았다. 그는 생명의 소중함을 느낄 수 있었다. 사나 씨는 함께 사는 개의 소중한 목숨을 떠올리며 되고쳐 물었다.

'내 목숨만 부질없어. 왜?'

며칠 동안 물음표를 물고 늘어지며 이런저런 사고를 해 본 끝에 내린 결론은 이랬다.

'나의 목숨은 내가 선택한 것이 아니니까.'

언니의 개는 순전히 자신의 선택으로 함께 살고 있는 것이었다. 하지만 이 생은 스스로 내린 선택이 아니었다.

'논리적이고 합당한 명분이 있는 생인가? 단 하나라도?'

왜사나 씨는 자문했다.

'아니.'

금방 자답이 돌아왔다.

사나 씨는 삶에 대한 명분, 생명의 소중함에 대한 명분이 얼마나 오래전부터 부재중인가를 떠올렸다. 지구상 그 어떤 현자도 확실한 답을 내놓지 못했다. 오히려 지혜에 가까워질수록 그들은 하나같이 '모른다', '아무것도 없다', '원래 그렇다' 따위의 무책임한 말이나 늘어놓았다. 삶이나 죽음보다는 차라리 책임감이 더 생생한 개념처럼 느껴졌다.

'만약 이 목숨에 대해 내가 져야 할 유일한 책임이 있다면 이 목숨을 어떻게 할지에 대한 의사 결정을 존중해 주는 거야. 원하는 것을 들어주고 요구를 이행하는 것. 나의 의사에 반하지 않는 것.'

그런데도 죽을 수는 없었다. 고작 둘 남은 책임감

이 쌍을 이뤄 집요하게 숨을 붙잡고 있었으므로.

언니의 개는 왜사나 씨가 보기에 삶을 조금도 내다 버리고 싶어 하지 않았다. 오히려 누구보다 살아 있는 매 순간을 누리는 듯 보였다. 하루에 수백 번은 더 행복해했고 그 찰나의 행복이 순식간에 바람 따라 실려 가도 아쉬워하거나 실망하지 않았다. 개에게는 그저 나중에 또 행복하면 그만인 일 같았다. 종종 언니를 그리워하는 것처럼 보이다가도 다음 순간에는 웃으면서 달리고 있는, 참으로 형편없이 행복한 개였다.

왜사나 씨는 시시때때로 지복을 누리는 개와 시공간을 공유하면서도 정작 감정은 공유할 수 없었다. 그는 개가 느끼는 행복 중 아주 작은 일부조차 경험하지 못했다. 사나 씨가 느낄 수 있는 최대치의 행복은 최소한의 만족감, 불행을 겨우 면하게 해 줄 수준의 미미한 만족감이 전부였다. 그것은 사람들이 생각하는 것보다는 컸지만 보통 사람이 평균적으로 추구하는 것에 비하면 턱없이 작았다. 따라서 그가 느끼는 것은 사실상 아무것도 아니었다.

버겁고 무거운 언니의 죽음과 세상에서 제일 행

복한 개 한 마리를 두고 제 손으로 목숨을 끊으려면 어느 정도의 이기심이 필요할지, 사나 씨는 알고 싶었다. 책임감을 느끼지 못해야 죽을 수 있을 것 같았다.

'네가 안중에 들어오지 않을 만큼 괴로운 순간이 찾아왔으면 좋겠어.'

사나 씨는 이따금 개를 보며 속으로 혼잣말했다. 그 정도로 괴롭다면 아무런 책임감도 짊어지지 않고 이기적일 수 있을 것 같았다.

'하지만 나를 제일 괴롭게 만드는 건 언니인데, 언니를 닮은 네가 안중에 들어오지 않을 수 있을까.'

언니와 그의 반려견은 정말이지 똑 닮은 두 생명이었다. 둘은 해맑았고, 종일 햇살을 쫓아다녔으며, 맛있는 걸 먹고 나면 눈동자에 빛과 설탕을 세트로 뿌려 놓은 양 눈이 반짝반짝 빛났다. 게다가 가만 보고 있으면 둘 다 언제나 웃고 있는 인상이었다. 하하, 하고 크게 웃지 않을 때조차도 그들의 부드러운 얼굴 위에는 늘 은은한 미소가 떠올라 있었다. 뭐가 그리도 만족스러운지 어리석어 보일 정도로 세상만사가 화평한 둘이었다.

그런 화평한 낯을 싫어하는 사람은 많지 않았다. 오히려 무표정한 이들마저 짧게나마 웃음 한 조각 떠오르게 하던 둘이었다. 그런데 이 지고한 낯을 눈 꼴셔 못 견디는 사람들이 있었다. 특히 개보다는 언니의 주변에 많았다.

왜사나 씨는 가장 먼저 어머니를 떠올렸다. 자매의 어머니는 헤실헤실 웃고 있는 사나 씨의 언니를 볼 때마다 혀를 쯧쯧 차며 말했다.

"저리도 아무 생각 없이 살아서야 어디 큰 사람이 되겠니."

사나 씨는 언니가 정말로 생각 없이 살고 있는가를 생각해 보았다. 왜사나 씨는 언제나 무엇인가를 생각했다. 머리통이 꽉 차 공상과 잡념이 비져나와도 계속 계속 생각했다. 어디선가 자꾸만 새로운 주제가 밀려왔다. 앞사람이 뱉은 문장으로부터, 테이블 위의 물건으로부터, 이웃집에서 들려오는 고성으로부터, 불쑥 치미는 짜증으로부터 새로운 상념의 물꼬가 터져 머릿속을 뚫고 들어왔다.

가만 보면 언니는 정말 아무 생각 없어 보인다고,

당시 사나 씨는 생각했다. 산딸기 파이를 함께 먹던 어느 일요일이 떠올랐다. 심각한 표정으로 딸기의 표면을 알알이 뜯어보고 있는 사나 씨 옆에서 언니는 파이 한 입을 오물거리며 가뜩이나 밝은 피부를 더 환하게 켜고 있었다. 피부 아래에 0.01와트짜리 전구 수백 개가 촘촘히 심어져 있다 해도 믿어질 것 같았다. 사나 씨는 언니가 지금 행복하다는 걸 알면서도 부러 물었다.

"언니, 이 산딸기 말이야, 세척은 제대로 했을까? 제대로 안 씻으면 알갱이 사이에 벌레가 계속 남아 있대."

언니는 잠시 오물거림을 멈추었다. 그러다 곧 선악 없는 산뜻한 목소리로 대답했다.

"글쎄. 어차피 다 자연에서 온 거잖아."

그리고 다시 입을 오물거리며 파이를 맛있게 먹었다.

그러니까 정말 그는 어머니의 말마따나 생각 없이 사는 사람일지도 몰랐다.

'하지만 큰 사람이 되어 봤자 엄마에게만 좋은 일이라면 굳이 언니는 큰 사람이 될 필요가 없잖아.'

왜사나 씨는 언니의 결핍된 생각을 곱씹어 보다 이런 결론을 내렸다. 그리고 이어지는 생각과 생각과 생각의 끝에서 조용히 다짐했다. 적어도 나만큼은 언니가 뭘 하고 살든, 어떤 태도로 살든 간섭하지 말자고.

고모와 고모부도 왜사나 씨의 언니를, 정확히는 그가 내뿜는 독보적인 자족의 기운을 아니꼬워하는 사람 중 하나였다. 그가 행복해하면 할수록 그들의 심사는 더욱 뒤틀리는 듯했다.

"유나는 대학도 안 가고 계속 저렇게 살 거랍니까?" 이따금 고모부는 짐짓 염려스러운 척 자매의 아버지에게 물었고, 그럴 때마다 아버지는 "요즘 세상에 대학이 뭐 대수라고. 자기 인생 사는 거지." 하고 무심하게 대꾸했다. 또 가끔은 고모가 "네 언니는 널 보고 배우는 것도 없나 보다 야."하며 농담하듯 사나 씨에게 말을 건네곤 했다. 그러나 왜사나 씨는 그것이 농담처럼 들리지 않았고 그래서 웃지 않았다. 어차피 자신이 웃든 말든 고모는 신경도 쓰지 않을 것이었다. 그의 신경이 쏠려 있는 건 자신의 말과 눈빛이 언니의 행복을 조금이라도 깎아 먹을 수 있는지의 여부였으니까.

물론 언니는 아무렇지도 않았다. 적어도 사나 씨의 눈에는 그래 보였다. 할머니마저 이 대열에 합세해도 언니의 환한 낯이 조금도 꺼지지 않는 것을 지켜보며 사나 씨는 더욱 그렇게 믿게 되었다.

할머니는 용돈을 받아 쓰는 대학생 사나 씨는 옆으로 제쳐두고, 매달 스스로 벌어 쓰는 대학 안 간 언니에게 슬그머니 다가가 오만 원짜리 지폐 두어 장을 억지로 쥐여주기 일쑤였다. 그럴 때마다 언니는 난감해하며 손사래를 쳤다. "할머니, 나 먹고살 만큼은 번다니까." 그러면 고모가 옆에서 "그냥 받아 둬. 할머니가 손녀 안쓰러워 주고 싶으신가 보지."하고 얄밉게 거들었다. 결국 언니는 할머니의 고집에 못 이겨 그것을 받아 든 뒤 "내가 못 살아 정말. 다음에 맛있는 거 사 올게요, 할머니."하고 털털하게 웃어넘기곤 했다.

그래서 왜사나 씨의 언니는 손주 중 가장 먼저 할머니의 용돈을 챙긴 사람인 동시에 가장 오랫동안 용돈을 받은 사람이었다. 그는 그렇게 돌려받은 용돈을 매번 사나 씨에게 주었다.

왜사나 씨의 언니는 대학에 진학하는 대신 고등학교 마지막 해부터 책 파는 찻집에서 일했다. 처음 언니가 일을 하기 시작했을 때 사나 씨는 "그냥 북 카페잖아."하고 심드렁하게 말했다. 그러나 언니는 단호하게 고개를 저으며 강조했다. "여긴 차를 파는 찻집이고, 책은 그냥 디저트야."

사나 씨는 책이 디저트라는 말이 너무 이상해서 언니가 고집을 피운다고 생각했다. 그 생각은 늘 그렇듯 다른 생각으로 이어졌다.

'언니는 죄다 자기 편한 대로 우기면서 살아. 하긴, 그러니 늘상 태평하지. 따지고 보면 저것도 이기적인 성향 아니야? 맞아, 사실 언니야말로 자기만 알고 사는 이기적인 사람인데. 하지만 나쁜 사람은 절대 아냐. 언니는 내가 아는 사람 중 제일 좋은 사람이야…….'

언니가 스무 살이 되던 해 봄, 사나 씨는 처음으로 그 책 파는 찻집을 찾아갔다. 안으로 들어서자마자 언니가 한 모든 말이 사실이라는 걸 알 수 있었다. 카운터의 거대한 유리 쇼케이스 안에 수십 권의 문고본이 케이크처럼 진열되어 있었다. 책마다 앞에는 제목, 저자, 가격이 적힌 작은 종이 태그가 있었다. 딱 케이크 한 조각 가격이었다.

"읽고 가시나요, 포장하시나요?"

언니가 작은 미소를 띠며 손님에게 묻고 있었다.

"포장해서 주세요."

카운터 앞에 선 남자가 단골인지 익숙하게 대답했다. 언니는 밝은 얼굴을 빛내며 그가 내민 카드로 계산을 하고 쇼케이스에서 책을 꺼냈다. 그러고는 능숙하게 책을 크라프트 봉투에 담아 입구를 단정하게 두 번 접더니 영수증과 함께 나무 집게로 고정했다.

사나 씨는 그 모든 광경을 홀린 듯 지켜보았다. 언니는 단순하기 그지없는 그 일을 진심으로 좋아하는 것 같았다. 봉투를 건네자 손님의 눈이 청명하게 빛났다. 뒤이어 진홍빛 차가 가득 담긴 텀블러도 건네졌다. 텀블러를 건네는 언니는 평소와 다름없이 평온하고 맑은 얼굴이었다. 그러고 보니 손님의 얼굴도 마찬가지였다. 둘은 각자의 이유로 순수하게 기뻐 보였다. 손님은 좋은 책을 디저트로 골라서, 언니는 그가 그 책을 읽으며 향긋한 블랙 체리

차를 마실 것을 알기에, 그래서 기뻐 보였다.

손님 중에는 언니의 행복을 아니꼬워하는 사람이 거의 없다는 것을, 그날 사나 씨는 알 수 있었다. 아니꼬워하는 사람은 오히려 언니가 다녔던 중학교나 고등학교에 있었고, 언니가 사는 집에 있었으며, 언니가 참석해야 했던 가족 행사에 있었다.

왜사나 씨는 비록 삶의 의미도 기쁨도 보람도 느끼지 못했지만 언니가 찻집에서 일하며 행복하게 사는 것이 보기 싫지 않았다. 그렇다고 부럽지도 않았다. 그저 신기했다.

그런 언니가 서른을 앞둔 무렵부터 매일 출퇴근을 함께하게 된 개는 '문리버'라는 이름을 가진 골든리트리버였다.

가게에 데려간 첫날 찻집에서 흘러나오던 「Moon River」를 무척이나 좋아해서 그게 곧바로 이름이 되었다고 했다.

'리트리버 이름으로 문리버라니.'

왜사나 씨는 처음 그 이름을 들었을 때 유치하다고 생각했다. 당시 사나 씨는 서울 소재의 사 년제 대학을 졸업한 뒤 전공과 전혀 무관한 광고 회사에

다니고 있었다. 언니는 스물아홉이었다. 여전히 대학을 가지 않았고, 여전히 고등학생 때 일하던 책과는 찻집에서 일했으며, 여전히 할머니에게 용돈을 받고 있었다. 월급은 매년 오르는 최저시급만큼만 오르는 것 같았다. 취직한 지 이 년 된 사나 씨가 받는 월급이 더 많았다.

그즈음 사나 씨의 언니는 혼자 살면서 월급의 삼분의 일가량을 월세로 쓰고 있었다. 그런데도 매달 돈이 남는다고 했다. 문리버에게 쓰는 돈과 주거비에 쓰는 돈, 최소한의 생필품과 식료품을 사는 것 외에는 별로 돈 쓸데가 없다는 게 이유였다. 책과 차는 찻집에서 늘 받고 있었고, 문리버와 산책하는 것 외에는 딱히 취미도 없는지라 필요한 것이 없다고.

그래서인지 언니 주변에는 그에게 옷을 선물하거나, 귀걸이를 선물하거나, 케이크를 선물하거나, 펜과 공책을 선물하거나, 아무튼 무언가를 선물하는 사람들이 항상 끊이질 않았다. 선물하는 이는 손님일 때도 있었고 함께 일하는 직원일 때도 있었다. 사귀던 남자일 때도 있었고 찻집 주인일 때도 있었다. 그리고 사나 씨일 때도 있었다.

사나 씨의 언니는 순수한 기쁨으로 선물을 받아들 수 있는 진귀한 사람이었다. 부채감이나 부담감 같은 건 조금도 느끼지 않았다. 사실 부담을 느낄 정도로 과한 선물을 하는 이도 없었다. 언니는 늘 고마움을 아낌없이 표현했고 사람들도 그 이상을 바라지 않았다. 피차 그것만으로 충분히 만족스러운 주고받음이었다. 특히 찻집 주인이 가장 만족스러워했다.

왜사나 씨는 장례식장에 찾아온 찻집 주인과 긴 대화를 나눴다. 오며 가며 인사를 나눈 적은 있었어도 제대로 대화를 나눠 본 것은 그것이 처음이자 마지막이었다.

그는 머리카락이 남들보다 빨리 세는 바람에 실제보다 더 나이 들어 보였다. 오십 대에 일찌감치 깨끗한 백발을 한 찻집 주인은 차를 만들고 블렌딩 개발을 하는 장인이었다. 쉰을 앞두고 그간 모은 자금을 쏟아부어 크다면 크고 아늑하다면 아늑한 규모의 찻집을 열었는데, 평소 다과를 즐기지 않고 차 본연의 맛을 중시하는 철학에 따라 책을 디저트로 내놓게 되었다고 했다. 특별히 탐독가인 것은 아니지만 수집의 일종으로 책을 모으는 취미가 있다며. 그렇게 식용 가능한 디저트는 없지만 차의 종류는 무궁무진한 찻집이 만들어졌다.

찻집 주인은 사나 씨의 언니가 스물둘이 되던 해에 그에게 업무를 총괄하는 매니저직을 제안했었다고 말했다. 그러나 언니는 그 자리에서 바로 거절했다. 찻집에는 애초에 직책이 없었을뿐더러 앞으로도 필요치 않을 것 같다는 이유를 들며.

틀린 말은 아니었다. 차분하고 온화하게 굴러가는 책 파는 찻집은 차를 개발하고 끓이는 장인 한 명과 책을 전담하는 직원 한 명, 계산을 하고 책과 차를 내주는 직원 한 명이면 충분했다. 거기다 정리 정돈하기를 좋아하고 설거지를 자랑스러운 재능으로 여기는 직원까지 한 명 더 있었으니 더할 나위가 없었다. 그렇게 매니저가 될 뻔했던 언니는 바라던 대로 아무것도 되지 않을 수 있었다.

찻집은 언니가 죽기 직전까지도 별다른 위계질서 없이 각자의 역할 분담에 충실한 네 사람에 의해 잘 운영되고 있었다. 찻집 주인은 그때 거절해주지 않앉더라면 이렇게 부드러운 공간으로 오래 운영하지 못했을 거라며 언니에게 고마움을 전했다. 붉어진 눈시울로 유나는 자신이 살면서 본 사람 중 가장 현명하고 지혜로운 아이라는 말도 덧붙였다.

왜사나 씨는 언니가 누군가에게 그토록 현명하고 지혜로운 사람이었다는 것에 기뻤다. 그러나 동시에 심장 언저리가 아려왔다. 그것은 한 번도 자신이었던 적이 없었으므로.

사나 씨는 언니의 지혜를 알아볼 만큼 지혜롭지 못했던 것에 대해 고통을 느꼈다. 그저 뒤늦게서야 희미하게 깨달을 뿐이었다. 언니는 왜 살아야 하나 싶은 이 삶을 어떻게든 계속 살아가게 해 주었던 기이한 동력이었다고.

티끌 하나 없이 청정한 생을 지켜보는 것만으로도 사나 씨는 피폐한 일상을 얼마간 정화할 수 있었다. 이유 없는 생이 주어졌는데도 저렇게나 기쁘게 살 수 있다는 것이 신기하고 불가해하면서도 한편으론 못내 안심이 되었다. 그는 사나 씨에게 있어서 결코 신도가 되지 못할 신성한 종교였다. 그런데 그런 사람이 죽어 버렸고, 왜사나 씨는 자신이 아는 유일한 신을 영원히 상실한 것 같은 기분이 들었다.

그러나 개, 문리버가 남았다.

문리버는 장례식이 끝날 때까지 입구에 엎드려 누워 거의 미동하지 않았다. 짖지도 움직이지도 않는 커다란 개는 너무나도 무해하고 무력해서 조문객들은 장례식장 입구 한 자리를 차지하고 있는 대형견을 보고도 별로 놀라지 않았다. 있는 줄 모르고 그냥 지나치는 사람마저 있었다.

사나 씨는 조문객을 맞으며 언니의 '생'과는 달리 그의 '사'에 대해서는 아니꼬워하거나 토 다는 이가 없다는 것을 알게 되었다. 은근히 언니의 삶에 부끄러움을 심어 주려 애쓰던 중학교 동창도, 간간이 찻집에 들러 그가 아직도 행복한지 확인해 보던 고등학교 동창도, 큰 사람이 되긴 글렀다며 탐탁지 않아 하던 엄마도, 햇살 아래 활짝 핀 얼굴에 배알이 뒤틀리던 고모 내외도 아무런 말을 하지 않았다.

다만 할머니만은 언니가 결국 대학 문턱에도 못 가보고 죽었다며 서럽게 울었다. 왜사나 씨는 처음으로 그런 할머니가 꼴 보기 싫었다. 솔직히 말하면 전부 다 싫었다. 엄마도, 언니의 동창들도, 고모와 고모부도, 할머니도. 그냥 죄다 쫓아내고 언니와 단둘이 있고 싶었다. 하지만 사나 씨는 생각만 했다. 자신은 늘 생각만 했으니까.

장례 절차를 진행하면서 왜사나 씨는 몇 번이고 "언니는 나무 아래 묻히고 싶어 했다니까."라는 말을 되풀이해야 했다. 처음에는 차분하게, 나중에는 소리 지르며.

그러나 자매의 부모님은 차갑게 식은 육신을 기어이 타오르는 불길 속에 던져 넣었다. 결국 남은 것은 뼛조각이 전부였다. 그것은 박력분처럼 곱게 갈려 작은 단지에 담겼다. 사나 씨는 유골이라도 나무 아래에 묻자고 주장했다. 그러나 언니의 뼈는 끝끝내 평범한 납골당의 평범한 네모 칸 안에 평범하게 안치되었다.

언니의 뼛가루를 들고 납골당에 들어섰을 때 사나 씨는 슬픔을 능가하는 혼란이 밀려오는 것을 느끼고 당혹스러웠다. 그 안에서는 언니의 죽음과 다른 이들의 죽음이 구분되지 않았다. '네가 알고 있는 가장 특별한 삶도 알고 보면 흔하디 흔한 인생에 불과하지.'라고 납골당 안에 빼곡히 들어찬 다른 유골함들이 말하는 것 같았다. 언니가 안치될 네모난 빈칸을 향해 걸어가는 동안 몸이 떨렸다. 사나 씨는 이럴 줄 알았으면 시체를 훔쳐서라도 언니가 원하는 대로 해 주어야 했다고 후회했다. 후회는 곧 분노가 되었다.

언니는 정말이지 단순한 사람이긴 했어도 죽고 나서 남게 될 몸뚱이를 어찌하고 싶은지 정도는 알았다. 언젠가 그는 영혼이 떠난 자신의 육신이 나무의 양분으로 쓰이면 참 행복할 것 같다고 말했다. 그 말을 할 때 그는 영원히 죽지 않을 것처럼 생생한 미소를 띠고서 가만히 자신의 동생을 바라보았다. 사나 씨는 식탁 맞은편에 앉아 알싸한 블렌딩 티를 홀짝이고 있었다. 사과와 계피, 흙당근의 향이 나는 오묘한 차였다.

"죽고 나서 그렇게 해 봐야 누가 행복을 느껴. 그때 언니는 존재하지도 않을 텐데."

왜사나 씨가 찻잔을 내려놓으며 말했다. 그러자 언니는 여전히 미소를 띤 채 느긋하게 대답했다.

"그렇게 하면 지금 여기 있는 내가 행복할 것 같아."

그러니 왜사나 씨는 부모님에게 분노하지 않을 수 없었다. 물론 나중에, 아주 나중에 사나 씨는 알게 되었다. 그들은 언니의 몸에 나무가 뿌리내려 박히는 것을 차마 견딜 자신이 없었음을. 하지만 그렇다고 해서 화가 사그라드는 것은 아니었다. 오히려 커지기만 했다.

'불덩이에 태운 건 아무렇지도 않았나? 이글거리는 열기에 녹아내리는 건 썩 괜찮아 보였던 거야?'

미어지는 부모 심정이라는 게 얼마나 편집적인 것인지를 생각하며 사나 씨는 머릿속에서 버럭버럭 성을 냈다. 남들 다 하고 사는 건 거리낌 없이 할 수 있다고 믿는 그 논리가 바보 같고 짜증스러웠다. 이제 자신 곁에 언니는 없고 온종일 행복해 빠진 바보 같은 개 한 마리만 남은 것도 신경질 났다.

왜사나 씨는 옆에 가만히 앉아 있는 문리버를 흘깃 쳐다보았다. 반짝이는 두 눈이 강물 위에 흩어진 햇빛 조각을 신기한 듯 구경하고 있었다. 둥글한 얼굴에는 언제나처럼 평온한 미소가 스며들어 은은한 빛을 발했다.

사나 씨는 자연히 언니의 평온한 미소를 떠올렸

다. 정말이지 개 한 마리만, 그것도 언니를 쏙 빼닮은 개 한 마리만 남은 건 부당한 일이었다. 그런데도 막상 이 무구한 생명체를 보고 있노라면 꼭 언니를 보고 있는 것만 같아서 화를 낼 수도 없었다. 솔직히 말해 화가 나지도 않았다. 그저 이유를 찾을 수 없을 뿐이었다.

물론 사나 씨는 왜 사는지까지는 몰라도 왜 죽지 못하는지는 알았다. 이 두 가지가 '그게 그거'인 셈이 되지 못한다는 사실이 참 이상했다. 죽지 못하는 이유는 어째서 살아갈 이유로 충분하지 않은 것일까.

왜 사는 건가 싶은 생 안에서 왜사나 씨는 도무지 삶과 죽음의 이유를 찾을 수 없었고 그래서 숨이 쉬어지도록 내버려 두었다. 옆에서 개의 호흡이 그 호흡을 가만히 따라왔다.

사나와 유나

왜사나 씨 이야기는 몇 해 전 언니가 제게 남긴 글로, 그 무렵 저는 바쁜 대학 생활에 정신이 팔려 정작 언니가 어떤 시간을 보내고 있는지는 잘 몰랐습니다.

방학을 맞아 오랜만에 언니를 만났을 때, 언니는 제게 주기 위해 쓴 글이 있다고 말했습니다. 저는 대수롭지 않게 글을 보여 달라고 말했고 언니는 조금 망설이다가 이 이야기를 건네주었습니다.

그리 길지 않은 왜사나 씨 이야기를 앉은 자리에서 다 읽고 잠시 말을 잃었을 때, 언니는 이 글이 유서를 대신하여 제게 남기기 위해 쓴 글이라는 사실을 말해주었습니다.

그 후 시간이 흘러 독립출판사를 차리게 된 저는

문득 잠자고 있던 왜사나 씨 이야기가 생각났습니다.

어째서 이 이야기를 책으로 만들 생각이 들었는지 모르겠습니다만, 또한 이 글이 누군가에게 따뜻한 위안을 주리라 말하긴 어려울 것 같지만, 이 이야기를 쓴 저희 언니 숲 씨는 여전히 세상에 살아있다는 이야기를 마지막으로 덧붙이고 싶었습니다.

책을 편집하며 언니에게 책에 넣을 작가의 말을 달라고 하자, 처음에 언니는 몇 줄의 글을 주었다가 도로 가져갔습니다. 대신 책의 앞머리에 '세상의 모든 사나와 유나에게'라는 문장을 넣고 싶다고 하더군요.

살 이유를 찾지 못한 사나 씨와 오롯한 자신으로 존재하는 유나 씨.

언니가 전하고픈 마음은 어쩌면 이게 전부일지도 모르겠습니다.

조금 욕심을 내어 제가 몇 마디 말을 덧붙이자면, 저는 단지 자기답게 존재하고 살아 나가는 것이 삶의 이유가 될 수 있다고 믿는 사람이지만, 설령 이게 진실이 아니더라도 무수한 생이 가득한 이곳에서 가능한 한 많은 생명이 자기만의 행복을 누리며 이유 없는 삶에 머무르기를 진심으로 소망합니다.

그리고 여러분이 어디서 이 글을 만나 어쩌다 읽게 되었을는지는 모르겠지만, 여기까지 함께해 주어 정말 감사하다는 말을 전하고 싶습니다.

여러분의 생에 겨울이 찾아와도 부디 햇빛 한 조각쯤은 깃드는 아름다운 삶을 체험하시기를 바라며.

사랑을 담아,
펴낸 이 아이레.